汉语风　中文分级 **Chinese Breeze**
系列读物 **Graded Reader Series**

第1级
300词级
Level 1
300 Word Level

Wǒ kěyǐ qǐng nǐ tiào wǔ ma

我可以请你跳舞吗？

Can I Dance with You?

主　编　刘月华（Yuehua Liu）　　储诚志（Chengzhi Chu）
原　创　赵绍玲（Shaoling Zhao）

（第二版）
Second Edition

北京大学出版社
PEKING UNIVERSITY PRESS

图书在版编目(CIP)数据

我可以请你跳舞吗?/刘月华,储诚志主编.—2版.—北京:北京大学出版社,2018.2

(汉语风中文分级系列读物)

ISBN 978-7-301-29226-6

Ⅰ.①我… Ⅱ.①刘…②储… Ⅲ.①汉语—对外汉语教学—语言读物 Ⅳ.①H195.5

中国版本图书馆CIP数据核字(2018)第026773号

书 名	我可以请你跳舞吗?(第二版)
著作责任者	刘月华 储诚志 主编
	赵绍玲 原创
责任编辑	李 凌
标准书号	ISBN 978-7-301-29226-6
出版发行	北京大学出版社
地 址	北京市海淀区成府路205号 100871
网 址	http://www.pup.cn 新浪微博:@北京大学出版社
电子信箱	zpup@pup.cn
电 话	邮购部 62752015 发行部 62750672 编辑部 62753027
印刷者	三河市博文印刷有限公司
经销者	新华书店

850毫米×1168毫米 32开本 2.5印张 39千字

2008年5月第1版

2018年2月第2版 2018年2月第1次印刷

定 价	20.00元

刘月华

毕业于北京大学中文系。原为北京语言学院教授，1989年赴美，先后在卫斯理学院、麻省理工学院、哈佛大学教授中文。主要从事现代汉语语法，特别是对外汉语教学语法研究。近年编写了多部对外汉语教材。主要著作有《实用现代汉语语法》（合作）、《趋向补语通释》《汉语语法论集》等，对外汉语教材有《中文听说读写》（主编）、《走进中国百姓生活——中高级汉语视听说教程》（合作）等。

储诚志

夏威夷大学博士，美国中文教师学会前任会长，加州大学戴维斯分校中文部主任，语言学系博士生导师。兼任多所大学的客座教授或特聘教授，多家学术期刊编委。曾在北京语言大学和斯坦福大学任教多年。

赵绍玲

笔名向娅，中国记者协会会员，中国作家协会会员。主要作品有报告文学集《二十四人的性爱世界》《国际航线上的中国空姐》《国际航线上的奇闻秘事》等，电视艺术片《凝固的情感》《希望之光》等。多部作品被改编成广播剧、电影、电视连续剧，获各类奖项多次。

Yuehua Liu

A graduate of the Chinese Department of Peking University, Yuehua Liu was Professor in Chinese at the Beijing Language and Culture University. In 1989, she continued her professional career in the United States and had taught Chinese at Wellesley College, MIT, and Harvard University for many years. Her research concentrated on modern Chinese grammar, especially grammar for teaching Chinese as a foreign language. Her major publications include *Practical Modern Chinese Grammar* (co-author), *Comprehensive Studies of Chinese Directional Complements*, and *Writings on Chinese Grammar* as well as the Chinese textbook series *Integrated Chinese* (chief editor) and the audio-video textbook set *Learning Advanced Colloquial Chinese from TV* (co-author).

Chengzhi Chu

Chu is associate professor and coordinator of the Chinese Language Program at the University of California, Davis, where he also serves on the Graduate Faculty of Linguistics. He is the former president of the Chinese Language Teachers Association, USA, and guest professor or honorable professor of several other universities. Chu received his Ph.D. from the University of Hawaii. He had taught at the Beijing Language and Culture University and Stanford University for many years before joining UC Davis.

Shaoling Zhao

With Xiangya as her pen name, Shaoling Zhao is an award-winning Chinese writer. She is a member of the All-China Writers Association and the All-China Journalists Association. She authored many influential reportages and television play and film scripts, including *Hostesses on International Airlines*, *Concretionary Affection*, and *The Silver Lining*.

前　言

学一种语言,只凭一套教科书,只靠课堂的时间,是远远不够的。因为记忆会不断地经受时间的冲刷,学过的会不断地遗忘。学外语的人,不是经常会因为记不住生词而苦恼吗?一个词学过了,很快就忘了,下次遇到了,只好查词典,这时你才知道已经学过。可是不久,你又遇到这个词,好像又是初次见面,你只好再查词典。查过之后,你会怨自己:脑子怎么这么差,这个词怎么老也记不住! 其实,并不是你的脑子差,而是学过的东西时间久了,在你的脑子中变成了沉睡的记忆,要想不忘,就需要经常唤醒它,激活它。"汉语风"分级读物,就是为此而编写的。

为了"激活记忆",学外语的人都有自己的一套办法。比如有的人做生词卡,有的人做生词本,经常翻看复习。还有肯下苦功夫的人,干脆背词典,从A部第一个词背到Z部最后一个词。这种做法也许精神可嘉,但是不仅过程痛苦,效果也不一定理想。"汉语风"分级读物,是专业作家专门为"汉语风"写作的,每一本读物不仅涵盖相应等级的全部词汇、语法现象,而且故事有趣,情节吸引人。它使你在享受阅读愉悦的同时,轻松地达到了温故知新的目的。如果你在学习汉语的过程中,经常以"汉语风"为伴,相信你不仅不会为忘记学过的词汇、语法而烦恼,还会逐渐培养出汉语语感,使汉语在你的头脑中牢牢生根。

"汉语风"的部分读物出版前曾在华盛顿大学(西雅图)、范德堡大学和加州大学戴维斯分校的六十多位学生中试用。感谢这三所大学的毕念平老师、刘宪民老师和魏苹老师的热心组织和学生们的积极参与。夏威夷大学的姚道中教授、加州大学戴维斯分校的李宇以及博士生 Ann Kelleher 和 Nicole Richardson 对部分读物的初稿提供了一些很好的编辑意见,在此一并表示感谢。

Foreword

When it comes to learning a foreign language, relying on a set of textbooks or spending time in the classroom is not nearly enough. Memory is eroded by time; you keep forgetting what you have learned. Haven't we all been frustrated by our inability to remember new vocabulary? You learn a word and quickly forget it, so next time when you come across it you have to look it up in a dictionary. Only then do you realize that you used to know it, and you start to blame yourself, "why am I so forgetful?" when in fact, it's not your shaky memory that's at fault, but the fact that unless you review constantly, what you've learned quickly becomes dormant. The *Chinese Breeze* graded series is designed specially to help you remember what you've learned.

Everyone learning a second language has his or her way of jogging his or her memory. For example, some people make index cards or vocabulary notebooks so as to thumb through them frequently. Some simply try to go through dictionaries and try to memorize all the vocabulary items from A to Z. This spirit is laudable, but it is a painful process, and the results are far from sure. *Chinese Breeze* is a series of graded readers purposely written by professional authors. Each reader not only incorporates all the vocabulary and grammar specific to the grade but also contains an interesting and absorbing plot. They enable you to refresh and reinforce your knowledge and at the same time have a pleasurable time with the story. If you make *Chinese Breeze* a constant companion in your studies of Chinese, you won't have to worry about forgetting your vocabulary and grammar. You will also develop your feel for the language and root it firmly in your mind.

Thanks are due to Nyan-ping Bi, Xianmin Liu, and Ping Wei for arranging more than sixty students to field-test several of the readers in the *Chinese Breeze* series. Professor Tao-chung Yao at the University of Hawaii. Ms. Yu Li and Ph.D. students Ann Kelleher and Nicole Richardson of UC Davis provided very good editorial suggestions. We thank our colleagues, students, and friends for their support and assistance.

主要人物和地方名称
Main Characters and Main Places

高亮 Gāo Liàng
manager of the loan department of a bank, a computer-savvy guy

方小英 Fāng Xiǎoyīng
housemaid of the president of a bank, and Gao Liang's girlfriend

李行长 Lǐ hángzhǎng
president of a bank

刘一民 Liú Yīmín
vice-manager of the loan department of a bank

高亮的妈妈 Gāo Liàng de māma
Gao Liang's mother

穿红衣服的人 chuān hóng yīfu de rén
the one in red

高个子的警察 gāo gèzi de jǐngchá
a tall policeman

北京 Běijīng: A city you know!

文中所有专有名词下面有下画线，比如：高亮
(All the proper nouns in the text are underlined, such as in 高亮)

目　录
Contents

我可以请你跳舞吗？(第二版)

这是 2007 年 4 月 30 号的晚上，一个很好的晚上。

北京的这个晚上，不冷，也不热。方小英没有想到[1]，一个小时以前，她会和这个刚认识的男人一起走进她的房间[2]。现在，这个名字叫高亮的男人已经是她的男朋友，她最喜欢的人了。

她喜欢这个男人，从一看见他就喜欢他了。能这么快喜欢一个男人，方小英真的没想到[1]。但是，这是真的吗？他是银行[3]信贷部[4]经理[5]，可她只[6]是银行[3]李行长家的一个小保姆[7]，他们是不一样的人。她不知道，这个男人能和她一起走多远。

1. 想到 xiǎngdào: think of
2. 房间 fángjiān: room
3. 银行 yínháng: bank
4. 信贷部 xìndàibù: loan department (of a bank)
5. 经理 jīnglǐ: manager
6. 只 zhǐ: only, just
7. 保姆 bǎomǔ: nanny, baby-sitter, housemaid

1. 一个有意思的男人

　　方小英长得不太漂亮，但是非常清纯[8]。女孩子清纯[8]，就好看。方小英是在李行长的家里看见高亮的，那是他们第一次见面。那天晚上七点钟，高亮来参加李行长家的party。高亮三十多岁，长得高高的，一看就知道身体非常好。方小英给他打开[9]门[10]以后[11]，看见他一走进去，就有好几个小姐马上看着他，她们好像[12]都很喜欢他。

　　方小英觉得，那些小姐长得都很漂亮，穿的衣服也都非常好看，一定也非常贵，她们都是中国人，但是都会说英文，就像电影、电视里那些上过大学，又有很多钱的小姐一样。可是方小英穿的衣服不新，也不漂亮，

---

8. 清纯 qīngchún: pure and innocent
9. 打开 dǎkāi: open
10. 门 mén: door, gate
11. 以后 yǐhòu: later, after, afterwards
12. 好像 hǎoxiàng: as if, look like

她只[6]是一个保姆[7]，只[6]能买便宜的衣服。所以她觉得那些小姐都比自己[13]好。

可是，方小英看见，高亮客气地和那些小姐说了"你好"以后[11]，好像[12]再也不打算和她们说什么，一个人坐在那里，远远地看着房子里的一些东西。方小英觉得，这是个很不错的男人，也是个很有意思的客人，他为什么好像[12]不喜欢那些漂亮的小姐呢？

方小英拿着水和一些吃的东西来到高亮那里："先生，您喜欢什么，请别客气。"在高亮看着她的时候，她对

5

10

13. 自己 zìjǐ: (one)self

高亮说。

　　高亮看着方小英，很长时间没有说话[14]，也没有接她送来的东西。

　　方小英觉得，他看自己[13]的时间太长了，开始有点儿不好意思[15]，就很快地又说了一次："先生，请喝点什么吧，别客气。"

　　高亮像刚听见一样，马上接过方小英送来的水，"谢谢！"他说。

　　"不客气！"方小英说。

5

10

14. (说)话 (shuō) huà: (speak) speech, words
15. 不好意思 bù hǎoyìsi: feel embarrassed, shy

这时候，房子里开始响[16]起很好的音乐，李行长走出来对大家说："小姐们，先生们，你们听，多好的音乐啊，别老[17]坐着了，起来起来，都来跳舞[18]吧！"李行长说完，刚要走，一   5
个先生走过来请李行长跳舞[18]，李行长就和那个先生跳了起来。

李行长是个五十多岁的女人，她对在银行[3]里工作的人都很好，对方小英也很好。小英刚上"网[19]上大学"   10
的时候，没有电脑[20]，李行长就借给她一个电脑[20]。李行长的先生是中国人，但是在美国工作，孩子也在外国学习，他们一年只[6]坐飞机回来一次，所以，北京的家里只[6]有李行长一个   15
人。李行长很忙，房子很大，家里没有人帮李行长买菜做饭，所以就叫方小英来给她做保姆[7]。李行长家非常大，可是不知道为什么，不让方小英在她家里住，她给方小英借了大楼最   20
下边的一个地方，晚上，方小英就一

16. 响 xiǎng: make a sound, emit a sound
17. 老 lǎo: always, at all time
18. 跳舞 tiào wǔ: dance
19. 网 wǎng: net, Internet
20. 电脑 diànnǎo: computer

个人去那里睡觉。

音乐真的很好，很多先生都起来请小姐跳舞[18]了，可是高亮没有，他拿着水，好像[12]不打算请人跳舞[18]。几个
5 漂亮的小姐在他不远的地方走来走去[21]。方小英知道，她们是想让高亮看见她们，请她们跳舞[18]。可是高亮拿着水，像什么也没有看见一样。大家都在跳舞[18]，方小英就不再送水和吃的东西
10 了，她在那里看大家跳舞[18]。

21. 走来走去 zǒulái zǒuqù: pace, go around

　　她知道有人 [22] 在远远地看着自己 [13]，她也知道那是高亮。高亮看着她的时候，她的身体就有点儿热。她不知道这是为什么，但是她很喜欢他看着自己 [13]。

　　高亮在看了方小英很长时间后，慢慢地走过来。"我可以请你跳舞 [18] 吗?"高亮客气地问。

　　方小英觉得身体一下子 [23] 非常热，不好意思 [15] 地说:"对不起，我没有跳过舞……我不会跳舞 [18]。"

　　"没关系，我也不太会，我们可以一起学。"高亮说。

　　方小英已经有一点儿想和他一起跳舞 [18] 了，但是她没有忘了自己 [13] 是个保姆 [7]，她知道自己 [13] 不应该跟客人跳舞 [18]。她看着高亮，不知道怎么样好。

　　这时候，李行长走过来说:"小英，我来介绍一下，这是我们银行 [3] 信贷部 [4] 经理 [5] 高亮，我们的电脑 [20] 高手 [24]。他今年已经找到 [25] 两个进我们银

5

10

15

20

---

22. 有人 yǒu rén: some people
23. 一下子 yíxiàzi: suddenly, in a short while (=一下 yíxià)
24. 高手 gāoshǒu: master hand, expert
25. 找到 zhǎodào: find

行³系统²⁶的黑客²⁷了！现在不忙，你可以和高经理⁵跳一会儿舞。"

Want to check your understanding of this part?
Go to the questions on page 48.

26. 系统 xìtǒng: system
27. 黑客 hēikè: hacker

2. 谁拿走了银行 [3] 一千万 [28] 块钱？

高亮已经睡觉了，方小英还是一个人坐着。她不知道明天高亮会不会说："对不起，我们认识是个错……"她想了一会儿，起来写了一些字放 [29] 在高亮的衣服里，那是她的电话号码 [30] 和QQ [31] 号码 [30]，她不想让高亮忘了自己 [13]。她还不想睡觉，就拿了一本书，书的名字叫《好久不见的三种天气和好久不见的三种东西》，这是她从图书馆借来的。

　　她刚想看看这本名字很有意思的书，就听见大楼外 [32] 来了很多汽车，方小英起来看了看，看见汽车上有很大的中文字"警察 [33]"和英文字"POLICE"。

5

10

15

28. 一千万 yìqiān wàn: 10 millions
29. 放 fàng: put
30. 号码 hàomǎ: number
31. QQ: a web chat tool widely used in China
32. 外 wài: outside
33. 警察 jǐngchá: police

9

"快起来看看吧，大楼外³²来了很多警察³³。"方小英对已经睡了的高亮说。

"都十二点钟了，睡觉吧，我的小女孩儿。"高亮像跟小孩子说话¹⁴一样，"警察³³是来抓³⁴坏人的，我们没有做坏事，还是睡觉吧。"

这时候，方小英的门¹⁰响¹⁶了，高亮像还在睡觉一样对着门¹⁰外³²说："谁啊？做什么？"

但是他很快就不想再睡觉了，因为他听见有人²²在门¹⁰外³²说："高亮，

34. 抓 zhuā: catch, arrest

快出来，我们是警察[33]！你拿走银行[3]一千万[28]块钱的事我们已经知道了。"

"什么？你们说我拿了多少[47]钱？"高亮问。

"一千万[28]！马上出来，跟我们走！"

5

"一千万[28]！不！你们一定错了！我没有拿银行[3]的钱！一分钱也没拿！"高亮马上起来对着门[10]外[32]说。

方小英也听见了警察[33]说的事，她非常害怕[35]地看着高亮，不知道警察[33]说的是不是真的。

10

看见方小英很害怕³⁵，高亮马上告诉她：“别害怕³⁵，我没有拿银行³的钱。一定是有人²²拿走了那些钱，还给我做了‘局’³⁶。”

5　　　“做‘局’³⁶？什么是做‘局’³⁶？”方小英问。

　　　“在银行，做‘局’³⁶就是有人²²拿了银行³的钱，又不想让警察³³知道是他拿的，就在拿钱的时候写上别人³⁷
10　的名字，这样，警察³³看见名字，就觉得是那个人拿了银行³的钱。你不在银行³工作不知道，这样的事，在中国和外国的银行³里都不是第一次了。我一定能找到拿钱的人。不用害怕³⁵！”

15　　　方小英想了想，相信³⁸高亮说的是真的。因为，要是³⁹高亮拿了银行³的钱，他就不会在知道很多警察³³来了的时候，还想睡觉，他一定会非常害怕³⁵，会马上就跑。

20　　　门¹⁰还在响¹⁶，但是那门¹⁰很重，很难开，警察³³不能马上进来。“我不

---

35. 害怕 hàipà: scared, be afraid
36. 做局 zuò jú: set a trap, make a misguided impression (局 jú: ruse, trap)
37. 别人 biéren: other people
38. 相信 xiāngxìn: believe, trust
39. 要是 yàoshi: if, suppose, in case

能跟警察[33]走，我要先找到[25]那个拿走钱的人！找不到那个人，警察[33]一定会觉得是我拿走了钱。没有证据[40]，我说什么他们都不会相信[38]。"高亮看着方小英说，"你能帮我吗?"方小英 5
已经一点儿都不害怕[35]了，她一定要帮这个她非常喜欢、也非常相信[38]的男人。"从这里往下走，有一个地方可以出去。"高亮很快往外[32]走了一点儿，又不走了。"我会回来的，等着 10
我!"他对方小英说。

---

40. 证据 zhèngjù: evidence, proof

Want to check your understanding of this part?
Go to the questions on page 49.

3. "现在，谁都不要相信⁴¹！"

三天后的晚上，九点十五分，方小英忙完了李行长家的事，刚想回到自己¹³住的地方去，听见李行长叫她："小英，等一下。"

李行长在房子里走来走去²¹，很快地说："高亮到银行³来已经八年了，他工作得很好，现在出事⁴²了，出了这么大的事⁴²，我也没想到¹。我知道你是个好孩子，但是你到北京的时间还很短，还不懂什么是好人和坏人。高亮不会真的喜欢你，真的跟你好，他是在和你玩儿……这几天，我给他打电话，他也不接。你知道他现在在哪儿吗？"

方小英知道李行长对她很好，但是，李行长说的这些话¹⁴方小英不喜欢听。她到北京来的时间是不太长，但是也不太短，她觉得高亮是真的喜

---

41. 谁都不要相信 shéi dōu bú yào xiāngxìn: don't trust anyone
42. 出事 chū shì: meet with a mishap, have an accident

欢她，她也相信³⁸高亮不是坏人，他没有拿银行³的钱。"我也很想知道高亮在哪里，但是我不知道。"方小英说。

方小英从李行长家出来，慢慢地走着，想着刚才李行长说的话¹⁴，想了很长时间。她现在很想高亮，很想跟高亮说话¹⁴。回到住的地方，打开⁹电脑²⁰，她知道应该复习昨天上的电脑²⁰课，可是她很不高兴，想先跟别人³⁷聊聊天儿⁴³。方小英的爸爸妈妈都不在北京，她也没有哥哥姐姐和弟弟妹妹，所以，她喜欢在学习累了的时

43. 聊天儿 liáo tiānr: chat

候和没有事的时候上网⁴⁴聊天儿⁴³,在
QQ³¹上有一些跟她一样的人,她常常
和他们在网¹⁹上聊天儿⁴³。

现在是晚上九点四十分,方小英
刚刚打开⁹QQ³¹一小会儿,就有一个她   5
不认识的男人来叫她。

“喂,你好!”他说。

“你是谁?”方小英问。

那个人有一会儿没有说话¹⁴。

“我们认识吗?”方小英又问。   10

那个人又等了一小会儿,慢慢地
说:“我可以请你跳舞¹⁸吗?”

方小英一下子²³高兴起来。啊!
是他,高亮!

“打开⁹视频⁴⁵,让我看看你。”   15
高亮又说。

方小英马上打开⁹了视频⁴⁵,高亮
一定看见她了,可是,高亮不让她看
见他自己¹³。这个时候,高亮相信³⁸这
真的是方小英了。   20

“小英,我要再一次请你帮我,
行吗?”高亮说。

“行,没问题!”方小英很高兴

44. 上网 shàng wǎng: surf the internet, log on to a website
45. 视频 shìpín: video, webcam

地说,"我相信³⁸你,我也……想你。"

"我也想你。但是,我们不能在这儿说很多话¹⁴。我想请你明天去看看我妈妈,请你告诉她,我不能回家,也不能给她写信,但是我没有做对不起她的坏事。她的身体不好,请她每天好好儿⁴⁶吃药,好好儿⁴⁶地等着我回来……还有,今天的事,一定不要告诉别人³⁷。在拿钱的人没有找出来前,谁都不要相信⁴¹!再见!"

5

10

Want to check your understanding of this part?
Go to the questions on page 49–50.

46. 好好儿 hǎohāor: properly, (do something) in a right way

4. 最好的朋友

第二天中午，李行长已经吃完饭，很舒服地坐在那儿看书。

方小英对她说："我有一点儿事，想出去一会儿。"

李行长说："等一等。小英啊，你看，你在我家工作得不错。我觉得一个月给你800块钱有点儿少[47]，我想一个月多给你200块钱。"

方小英高兴地说："这太好了，谢谢您!"

"小英啊，我还是要问问你，你知道高亮现在在哪儿吗?"

方小英刚想告诉她昨天晚上他们在网[19]上见面的事，但是她很快想到了高亮的话[14]，就对李行长说："不知道，我不知道他在哪里。"

"你什么时候知道了，一定要马上告诉我，好吗?"李行长说。

5

10

15

47. 少 shǎo: few, little, not enough

方小英回到自己[13]住的地方，换上一件漂亮的新衣服，她要去看高亮的妈妈。

　　高亮的家很远，从李行长家去那里要换两次公共汽车。方小英走着走着，觉得好像[12]什么地方有点儿不对，因为有个穿红[48]衣服的男人老[17]在后边[49]跟着[50]她，在那个穿红[48]衣服的男人后边[49]，好像[12]还跟着[50]一个长得很高的男人……方小英看过一些电影和电视，知道一些这样的事，她什么都没想，马上跑上了最近的公共汽车。公共汽车开走的时候，方小英看见那个穿红[48]衣服的男人和那个长得很高的男人都没有上来，方小英很高兴。

　　方小英换了两次公共汽车，又走了一会儿，来到高亮家门[10]前。这时候她往后边[49]看了看，啊，坏了，那个穿红[48]衣服的男人就在不远的地方看着她！再远一点儿，那个长得很高的男人，还是跟在那个穿红[48]衣服的

48. 红 hóng: red
49. 后边 hòubian: behind, in the back
50. 跟着 gēnzhe: follow

20

男人后边⁴⁹……方小英知道，现在想
走已经太晚了，他们都已经知道她是
去高亮的家……

　高亮的爸爸不在家，高亮的妈妈
给方小英打开⁹了门¹⁰，很客气地问：
"小姐，您找谁？"

　高亮的妈妈是大学老师，因为孩
子出了事⁴²，她好像¹²很不高兴，但是
她说话¹⁴的时候还是非常客气。

　"请问，这是高亮的家吗？我是
高亮的朋友，我来告诉您一些高亮的
事。"

高亮的妈妈马上高兴起来，她看了看长得非常清纯⁸的方小英说："请进请进！"

方小英走了进去。没想到¹，在高亮家里她看见了一个和她常常见面的人。

"这是银行³信贷部⁴副⁵¹经理⁵刘一民。"高亮的妈妈不知道方小英认识刘一民，她给方小英介绍说："一民和高亮两个人在大学的时候是同学也是好朋友，看，那是他们学生时候在教

51. 副 fù: vice-, deputy, secondary

室里学习的照片，是不是像哥哥和弟弟一样？"

方小英看见，照片上，刘一民和高亮坐得很近，真的像哥哥和弟弟一样。

"这几年，他们又在银行³一起工作，是非常好的朋友。今天是我的生日，前几天高亮出了事⁴²，很多人都不来了，但是一民还是像前几年一样来看我，还送给我生日礼物。在这样的时候真的能看出来⁵²，谁是最好的朋友！"

这时候，方小英也已经看见，房子里有一些很漂亮的生日礼物。

"刘一民真不错！"方小英想。

方小英跟刘一民见过很多次面，今年，刘一民常常去李行长家。他一来，李行长就会马上叫方小英出去买东西，有的时候还让她买很多东西，所以，方小英常常看得见刘一民什么时候来，看不见刘一民什么时候走。方小英知道，李行长要和刘一民说工作上的事，银行³的工作都是大事，不能让自己¹³听见。这，她懂。

52. 看出来 kàn chulai: see, espy, recognize

　　"都在银行³工作，但是，在参加 party 那一天以前，高亮怎么一次都没有去过李行长家呢?"方小英想。她不知道这是为什么。

5　　"小英，你是怎么知道高亮家的? 你这几天是不是见过高亮? 他在哪里?"刘一民因为跟方小英认识，所以一点儿也不客气，很快地问。

　　方小英很想告诉他自己¹³和高亮在网¹⁹上见过面，但是方小英想到¹高亮对她说过，现在谁都不要相信⁴¹，

所以方小英就说："没有。我这几天没见过高亮，我也不知道高亮在哪里。"

"你刚才不是说，要告诉我高亮的事吗?"听见方小英这样说，高亮的妈妈很快地问。 5

"啊，对不起，我没有高亮的事可以告诉您。我能告诉您的是，高亮是个好人，他一定不会拿银行³的钱，请相信³⁸您的孩子，他一定会回来看您! 再见!" 10

高亮的妈妈看着方小英，好像¹²懂她的意思，又好像¹²不懂她的意思。

Want to check your understanding of this part?
Go to the questions on page 50.

5. 做"局"³⁶的人是谁?

这天晚上,高亮穿着一件不知道从哪儿找来的很长的衣服,很快地来到一家小网吧⁵³,他看了看前边和后边⁴⁹,觉得没有别人³⁷看见他,就走了进去。

5 "喂,你好!"看见方小英早就在网¹⁸上,高亮对她说。

"我在你妈妈生日那天中午见到她了!"方小英没有说什么客气话¹⁴,马上告诉高亮说。

10 "你怎么知道那天是我妈妈的生日?"

"你的好朋友那天也去看你妈妈了,还给她送去了很贵的生日礼物呢!"

"好朋友?谁?"高亮很快地问。

15 "刘一民啊!"

看见这个名字,高亮一下子²³不说话¹⁴了。他很快地想,对啊,我怎么忘了,只⁶有刘一民知道我的生日,

---

53. 网吧 wǎngbā: Internet cafe

也知道我妈妈的生日！我的电脑[20]密码[54]就是我和妈妈的生日啊，破译[55]我的电脑[20]密码[54]，进我的电脑[20]系统[26]，用我的名字拿走银行[3]钱的人会不会是他?!

5

"你怎么不说话[14]?"方小英在电脑[20]前等了一会儿，问。

"啊，我们下次再说吧。"高亮马上下了网[19]，很快走出了网吧[53]。

Want to check your understanding of this part?
Go to the questions on page 50–51.

54. 密码 mìmǎ: password, cipher code
55. 破译 pòyì: crack (the code), decipher

6. 谁想杀[56]他？

在大学学习的时候，高亮第一喜欢上电脑[20]课，第二喜欢上英文课。不在教室上课的时候，他就去图书馆复习电脑[20]和英文。考试的时候，电脑[20]和英文他都考第一，所以，老师非常喜欢他。他还喜欢游泳和旅行。和同学、朋友一起游泳，他常常也是第一。他也常常和同学、朋友一起去很远的地方玩儿，玩儿的时候他们不坐汽车，大家高兴地唱着歌[57]走，常常走很长时间。所以高亮的身体很好。

现在，他不能回家拿电脑[20]，只[6]能再买一个电脑[20]，他要做一次"黑客[27]"。他一定要知道是谁用他的电脑[20]密码[54]进了银行[3]系统[26]，用他的名字拿走了一千万[28]块钱，给他做了这个"局"[36]。

这天晚上很晚的时候，高亮来到

56. 杀 shā: kill
57. 唱歌 chàng gē: sing

一家 24 小时工作的银行[3]，他在 ATM
机[58]上很快地打了密码[54]，钱出来了。
拿着钱，高亮又高兴，又不太高兴。
高兴的是，警察[33]没有冻结[59]他的钱，
他可以用这些钱买一个又小又好的电
脑[20]。他打算用这个电脑[20]进银行[3]系
统[26]，找出那个拿走钱的人。他相
信[38]，自己[13]可以用电脑[20]破译[55]那个
人的密码[54]，找到[25]他拿钱的证据[40]。
他不相信[38]，一个人拿走一千万[28]块钱

5

10

58. ATM 机 ATM jī: ATM machine
59. 冻结 dòngjié: freeze (a bank account)

会不留下[60]一点儿证据[40]。但是，高亮也知道，他这样做，警察[33]就会更[61]快地找到[25]他。

想到[1]这里，高亮马上往后边[49]看了看，这一看，他觉得不好，这里是一个很大的公园，因为时间太晚了，人很少[47]。在不太远的地方，有个穿红[48]衣服的男人好像[12]在跟着[50]他，他又看了几次，好像[12]看见那个穿红[48]衣服的男人后边[49]还有一个长得很高的男人……他们是谁？是警察[33]还是给自己[13]做"局"[36]的人？高亮知道，他没做坏事，他不怕警察[33]，但是现在还不能叫警察[33]抓[34]住自己[13]，他一定要打开[9]那个"局"，再去找警察[33]。高亮知道，没有别人[37]拿钱、做"局"[36]的证据[40]，跟警察[33]说什么都没有用。高亮想，要是[39]跟在他后边[49]的是做"局"[36]的人，那就更[61]坏了，他们抓[34]住自己[13]，一定会杀[56]了自己[13]！这样想着，高亮就很快地跑起来，跑了很远很远，觉得很累，他往后边[49]看了好几次，都没有看见那个穿红[48]

60. 留下 liúxià: left; leave over
61. 更 gèng: even more

衣服的人和长得很高的人。他跑得慢
了下来，打算回到他现在住的地方。

　　高亮现在住的地方更⁶¹远，回去
的时候要走过一个很高很长的桥⁶²，
桥⁶²下边有很多大车小车，都开得很
快。就在高亮在桥⁶²上走的时候，坏
了！一个人从后边⁴⁹跑过来，用很大
的力气⁶³推⁶⁴他，那个人的力气⁶³太大

5

62. 桥 qiáo: bridge
63. 力气 lìqi: physical strength
64. 推 tuī: push

了，<u>高亮</u>一下子 ²³ 从桥 ⁶² 栏杆 ⁶⁵ 上倒 ⁶⁶
了出去！那个人很快地跑了。<u>高亮</u>抓 ³⁴
住了桥 ⁶² 栏杆 ⁶⁵。这时候，不知道是
谁，抓 ³⁴ 住了<u>高亮</u>的衣服，那个人两
臂 ⁶⁷ 的力气 ⁶³ 也非常大，一下拉 ⁶⁸ 起了
<u>高亮</u>。<u>高亮</u>刚想看看拉 ⁶⁸ 他的人是
谁，可是那个人已经走了。<u>高亮</u>从后
边 ⁴⁹ 只 ⁶ 看见他长得很高。

5

Want to check your understanding of this part?
Go to the questions on page 51–52.

65. 栏杆 lángān: railing, balustrade
66. 倒 dǎo: fall down, collapse
67. 臂 bì: arm
68. 拉 lā: pull, drag

7. 做黑客²⁷找证据⁴²

　　第二天上午，高亮买了一个很好、很小的电脑²⁰后往他住的地方走。他走了一会儿往后边⁴⁹看了看，没有看见那个穿红⁴⁸衣服的人和长得很高的人，他很高兴。可是，就在高亮高兴的时候，有一辆⁶⁹白⁷⁰汽车很快地开过来，好像¹²准备撞⁷¹他。这时

5

69. 辆 liàng: measure word for vehicles
70. 白 bái: white
71. 撞 zhuàng: bump into, strike, knock, collide

33

候，一辆[69]红[48]汽车也很快地开过来，一下子[23]开到了那辆[69]白[70]汽车前，两辆[69]汽车重重地撞[71]在一起……高亮知道不对，马上跑了起来，在跑的时候他看见，开那辆[69]白[70]汽车的人，穿着红[48]衣服，开那辆[69]红[48]汽车的人好像[12]也见过，是不是那个长得很高的人呢？高亮不能多想，他很快地跑回现在住的地方。

喝了一点儿水，高亮觉得好多了，就打开[9]电脑[20]工作。他要快一点儿找到[25]那个拿钱的人，他知道，现在时间非常少[47]，那些人一定想很快找到[25]他，杀[56]了他！杀[56]了他，就没有人去想那些钱是他拿的还是别人[37]拿的了。

高亮很快地开始工作。他进了银行[3]的电脑[20]系统[26]后看见，一共有一千万[28]块钱真的很像是让他拿走了。现在，这么多钱都进了美国的一个银行[3]。高亮想，他没有拿钱，可是警察[33]说他拿了钱，警察[33]一定是看见了拿钱的人做的这个"局"！这个做"局"[36]的人是谁呢？会不会是刘一民呢？因为，只[6]有刘一民知道他的生日，也知道他妈妈的生日，刘一民要破译[55]他的密码[54]太方便了。对，一定是他！

"对不起了，一民。"他自己[13]对自己[13]说。

现在，要破译[55]最有可能给他做"局"[36]的刘一民的电脑[20]密码[54]了！高亮知道，要是[39]刘一民没拿钱，他的电脑[20]密码[54]就不难破译[55]；要是[39]刘一民拿了那些钱，就一定害怕[35]高亮找到[25]他拿银行[3]钱的证据[40]，就一定会用一个非常难懂、非常难破译[55]的密码[54]。

刘一民的密码[54]真的很难破译[55]。用了两天半的时间，高亮进了刘一民的电脑[20]系统[26]！高亮在刘一民的电脑[20]里一点儿一点儿地找，找了一上午，他真的在那里看见了他不想看见的东西——那个像自己[13]的弟弟一样的好朋友刘一民，今年破译[55]过自己[13]的电脑[20]的密码[54]，还进过自己[13]的电脑[20]系统[26]很多次……找到[25]了证据[40]，高亮一点儿也不快乐，他很不舒服。他真的不想是这样，他不知道刘一民怎么了，他自己[13]拿了钱，还给最好

的朋友做"局"³⁶,这还是人吗?!

　　"这些证据⁴⁰还太少⁴⁷,"高亮想,"我还要知道这些钱寄给了谁?"他又用了一下午的时间,破译⁵⁵了刘

5　一民电子信箱⁷²的密码⁵⁴。在刘一民的电子信箱⁷²里,高亮找到²⁵了一个很大的、让他有点儿害怕³⁵的证据⁴⁰——他看见,那个常常说非常喜欢他,在工作上常常帮他的李行长,那个在他感

10　冒的时候用自己¹³的汽车带他去看

72. 电子信箱 diànzǐ xìnxiāng: email account

病、买药的李行长，那个在他生日的时候给他送生日礼物的李行长，是跟刘一民一起拿走那些钱的人！让高亮想不到的还有，一星期以前，一千万[28]块钱，很多都寄到了美国，给了一个中国人，这个人就是李行长在美国工作的先生，刘一民一共只[6]拿到了五万块。刘一民一定很不高兴，所以他在电子信箱[72]里留下[60]了很多拿银行[3]的钱和给李行长的先生寄钱的证据[40]。高亮想，刘一民一定是想用这些证据[40]再跟李行长多要一些钱。

就在这时候，高亮看见又有一个人进了刘一民的电脑[20]系统[26]，在刘一民的电脑[20]系统[26]里慢慢地看！这个人是谁？他在做什么？高亮不知道。但是高亮知道，他现在应该马上到警察[33]那里去，告诉他们拿走银行[3]钱的人是谁，那些钱现在在哪儿。

高亮拿着电脑[20]刚出门[10]，就看到有一个穿红[48]衣服的人，拿出枪[73]对着他。这时候，不知道从哪儿跑出来一个长得很高的男人，他很快很重地

5

10

15

20

73. 枪 qiāng: gun

推[64]了高亮一下，推[64]倒[66]了他，那一枪[73]就打在了那个男人的身体上。那个男人也已经拿出了枪[73]，一下打着了那个穿红[48]衣服的人，穿红[48]衣服的
5　人一下子[23]倒[66]了下去，不能再开枪[73]打高亮了。

　　长得很高的男人对高亮说："别害怕[35]，我是警察[33]！跟我走吧。"

　　高亮看见他衣服上都红[48]了，马
10　上说："枪[73]打着你了，我来帮你。"
　　那个警察[33]说："没关系，不重。我们的人和车就在不远的地方等着呢，我们走吧。"

到了警察[33]那里，高亮马上打开[9]电脑[20]，想找出证据[40]给警察[33]看，可是没想到[1]，有人[22]删除[74]了刘一民的电脑[20]系统[26]，那些证据[40]都没有了！高亮马上又进了刘一民的电子信箱[72]，可是也晚了，电子信箱[72]里的证据[40]也删除[74]了！

高亮一看，知道不好，他很不高兴地说："今天下午我真的找到[25]过李行长和刘一民拿走钱的证据[40]，我还知道有很多钱寄到了李行长的先生那里。"

长得很高的警察[33]说："是的，我们知道今天你破译[55]了刘一民的密码[54]。上午，你进了他的电脑[20]系统[26]和电子信箱[72]，看见了那些拿钱的证据[40]。"

"你们知道？"

"对，我们这些天都跟着[50]你。一个星期前，李行长来对我们说，你拿走了银行[3]一千万[28]块钱，银行[3]的电脑[20]系统[26]里有你拿钱的证据[40]。我们看了那些证据[40]，觉得不像是真的。你是电脑[20]高手[24]，用电脑[20]拿走

5

10

15

20

74. 删除 shānchú: delete

一千万²⁸块钱，不会让人知道。我们相信³⁸，一定是有人²²拿了钱，又给你做了'局'³⁶。所以，李行长家开party的那天晚上，我们没想真的抓³⁴

5 你。我们相信³⁸，你在银行³工作了八年，一定能找到拿走了那些钱的人，也一定能知道他怎么拿走了那些钱，你也一定能破译⁵⁵那个人的电脑²⁰密码⁵⁴，找到²⁵他拿钱的证据⁴⁰。我们没有冻结⁵⁹你的钱，就是让你去买电

10 脑²⁰。还有，那天我们去了很多警察³³，像要抓³⁴你一样，是想让拿钱的人觉得我们不知道他们做了'局'³⁶，我们也给拿钱的人做了一个'局'³⁶！我们很

15 多警察³³都在后边⁴⁹帮你。"

"啊，那天在桥⁶²上拉⁶⁸我上来的人……"

"是的，那是我。"

"那天用红⁴⁸汽车撞⁷¹白⁷⁰汽车的

20 人……"

"对，那也是我。"

"那，今天跟着⁵⁰我进了刘一民电脑²⁰系统²⁶和电子信箱⁷²的人……"

"那是我们警察³³里的电脑²⁰高

手²⁴，他天天都在网¹⁹上看着你。你和方小英的几次网¹⁹上见面，他也都看着呢！"

高亮高兴起来："这么说，警察³³已经和我一样看到李行长和刘一民拿钱的证据⁴⁰了？"

"对，都看到了。你的电脑²⁰学得真不错，可是你有一个错：没有留下⁶⁰那些证据⁴⁰。半小时前，他们的人没有杀⁵⁶了你，他们知道不好，就想坐飞机跑到外国去。他们删除⁷⁴了刘一民电脑²⁰系统²⁶和电子信箱⁷²里的证据[40]。还好，我们的电脑[20]高手[24]早已经拿到了很多他们拿钱、寄钱的证据[40]，所以，现在李行长和刘一民都已经在警察[33]的车上了。"

5　　现在高亮真的高兴了！

Want to check your understanding of this part?
Go to the questions on page 52–53.

8. "我可以请你跳舞¹⁸吗?"

五月的北京,天气很好,不冷,也不热。

晚上,方小英一个人慢慢地从一个公园前走过,那里有很多男人和女人在一起跳舞¹⁸,还有人²²像参观一样,看他们跳舞¹⁸。音乐非常好,还有人²²跟着⁵⁰音乐一起唱。那音乐她听见过,是在李行长家的party上,就是在听见这个音乐的时候,高亮走过来请她一起跳舞¹⁸。

那时候,高亮是怎么说的?……啊,对了,他说:"我可以请你跳舞¹⁸吗?"

"我可以请你跳舞¹⁸吗?"方小英真的听见有人²²在后边⁴⁹对她说。

方小英一下子²³不走了,"这是真的吗?"她想。

她慢慢往后边⁴⁹看,这一看,她真的是非常快乐,她看见自己¹³天天想

着的<u>高亮</u>就在很近的地方，高兴地对
她张开⁷⁵两臂⁶⁷……

Want to check your understanding of this part?
Go to the questions on page 53.

To check your global understanding of this reader,
go to the questions on page 54–55.

75. 张开 zhāngkāi: open (mouth, arms, etc.)

生词表
Vocabulary list

1	想到	xiǎngdào	think of
2	房间	fángjiān	room
3	银行	yínháng	bank
4	信贷部	xìndàibù	loan department (of a bank)
5	经理	jīnglǐ	manager
6	只	zhǐ	only, just
7	保姆	bǎomǔ	nanny, baby-sitter, housemaid
8	清纯	qīngchún	pure and innocent
9	打开	dǎkāi	open
10	门	mén	door, gate
11	以后	yǐhòu	later, after, afterwards
12	好像	hǎoxiàng	as if, look like
13	自己	zìjǐ	(one) self
14	(说)话	(shuō) huà	(speak) speech, words
15	不好意思	bù hǎoyìsi	feel embarrassed, shy
16	响	xiǎng	make a sound, emit a sound
17	老	lǎo	always, at all time
18	跳舞	tiào wǔ	dance
19	网	wǎng	net, Internet
20	电脑	diànnǎo	computer
21	走来走去	zǒulái zǒuqù	pace, go around
22	有人	yǒu rén	some people
23	一下子	yíxiàzi	suddenly, in a short while (= 一下 yíxià)
24	高手	gāoshǒu	master hand, expert

25	找到	zhǎodào	find
26	系统	xìtǒng	system
27	黑客	hēikè	hacker
28	一千万	yìqiān wàn	10 millions
29	放	fàng	put
30	号码	hàomǎ	number
31	QQ		a web chat tool widely used in China
32	外	wài	outside
33	警察	jǐngchá	police
34	抓	zhuā	catch, arrest
35	害怕	hàipà	scared, be afraid
36	做局	zuò jú	set a trap, make a misguided impression (局 jú: ruse, trap)
37	别人	biéren	other people
38	相信	xiāngxìn	believe, trust
39	要是	yàoshi	if, suppose, in case
40	证据	zhèngjù	evidence, proof
41	谁都不要相信	shéi dōu bú yào xiāngxìn	don't trust anyone
42	出事	chū shì	meet with a mishap, have an accident
43	聊天儿	liáo tiānr	chat
44	上网	shàng wǎng	surf the internet, log on to a website
45	视频	shìpín	video, webcam
46	好好儿	hǎohāor	properly, (do something) in a right way
47	少	shǎo	few, little, not enough
48	红	hóng	red
49	后边	hòubian	behind, in the back
50	跟着	gēnzhe	follow
51	副	fù	vice-, deputy, secondary

52	看出来	kàn chulai	see, espy, recognize
53	网吧	wǎngbā	Internet cafe
54	密码	mìmǎ	password, cipher code
55	破译	pòyì	crack (the code), decipher
56	杀	shā	kill
57	唱歌	chàng gē	sing
58	ATM机	ATM jī	ATM machine
59	冻结	dòngjié	freeze (a bank account)
60	留下	liúxià	left; leave over
61	更	gèng	even more
62	桥	qiáo	bridge
63	力气	lìqi	physical strength
64	推	tuī	push
65	栏杆	lángān	railing, balustrade
66	倒	dǎo	fall down, collapse
67	臂	bì	arm
68	拉	lā	pull, drag
69	辆	liàng	measure word for vehicles
70	白	bái	white
71	撞	zhuàng	bump into, strike, knock, collide
72	电子信箱	diànzǐ xìnxiāng	email account
73	枪	qiāng	gun
74	删除	shānchú	delete
75	张开	zhāngkāi	open (mouth, arms, etc.)

练 习

Exercises

1. 一个有意思的男人

根据故事选择正确的回答。Select the correct answer for each of the questions.

(1) 高亮是一个有意思的男人,因为:

　　a. 他喜欢那些漂亮的小姐。

　　b. 他不请漂亮的小姐跳舞[18],请保姆[7]方小英跳舞。

(2) 方小英长得怎么样?

　　a. 很清纯[8]。

　　b. 很漂亮。

(3) 高亮跟方小英说了什么话?

　　a. 我可以请你跳舞[18]吗?

　　b. 你会跳舞[18]吗?

(4) 李行长是什么样的人?

　　a. 一个三十多岁的男人。

　　b. 一个五十多岁的女人。

(5) 方小英住在哪里?

　　a. 李行长家。

　　b. 李行长借的大楼最下边的一个房间[2]。

(6) 李行长怎样介绍高亮?

　　a. 他是银行[3]信贷部[4]经理[5]。

　　b. 他是进银行[3]电脑[20]系统[26]的黑客[27]。

2. 谁拿走了银行[3]一千万[28]块钱?

根据故事选择正确的回答。 Select the correct answer for each of the questions.

(1) 方小英为什么写她的电话号码[30]和QQ[31]号码[30]?

    a. 高亮让她写这些号码[30]。

    b. 她不想让高亮忘了她。

(2) 方小英看见外面的汽车上有什么字?

    a. 只[6]有中文字"警察[33]"。

    b. 有中文和英文的"警察[33]"。

(3) 警察[33]为什么来方小英家?

    a. 他们说高亮拿了银行[3]的一千万[28],让高亮跟他们走。

    b. 因为高亮不能在方小英家里睡觉。

(4) 方小英为什么很害怕[35]?

    a. 因为她怕高亮真的拿了银行[3]的一千万[28]块钱。

    b. 因为以前警察[33]抓[34]过她。

(5) 警察[33]没有抓[34]住高亮,谁帮助了他?

    a. 方小英。

    b. 一个警察[33]。

3. "现在,谁都不要相信[41]!"

下面的说法哪个对? Mark the correct statements with "T" and the incorrect ones with "F".

(1) 李行长对方小英说高亮在银行[3]工作了八年,工作得很不好。

                                                 (   )

(2) 方小英相信[38]高亮真的喜欢自己[13],高亮是好人。   (   )

(3) 因为方小英在上网上大学,所以会上网[44]。   (   )

(4) 方小英在累了的时候喜欢上网⁴⁴在 QQ³¹ 上跟别人³⁷ 聊天儿⁴³。 （　）

(5) 小英一开机,高亮就说:"你好! 我很想你。" （　）

(6) 高亮在视频⁴⁵上看见真的是方小英以后¹¹,才跟她 说话¹⁴。 （　）

(7) 高亮让方小英给妈妈买药。 （　）

(8) 高亮说:"在拿钱的人没有找出来前,谁都不要相信⁴¹!" （　）

4. 最好的朋友

下面的说法哪个对? Mark the correct statements with "T" and the incorrect ones with "F".

(1) 李行长以前每个月给小英 500 块钱,现在给 1000 块钱。 （　）

(2) 方小英去高亮的家的时候,看见一个穿红⁴⁸衣服的人 老¹⁷跟着⁵⁰她,那个穿红⁴⁸衣服的人后边⁴⁹还有一个长得 很高的人。 （　）

(3) 方小英在高亮的家里看见了银行³信贷部⁴副⁵¹经理⁵ 刘一民。 （　）

(4) 方小英认识刘一民,所以很相信³⁸他。 （　）

(5) 方小英告诉高亮的妈妈:"我来告诉您一些高亮的事。" （　）

(6) 方小英请高亮的妈妈相信³⁸自己¹³的儿子,说高亮一定 会回来看她的。 （　）

5. 做"局"[36]的人是谁?

根据故事选择正确的回答。 Select the correct answer for each of the questions.

(1) 一天晚上谁去了一个小网吧[53]?

　　a. 方小英。

　　b. 高亮。

(2) 方小英怎么知道那天是高亮妈妈的生日?

　　a. 高亮告诉她的。

　　b. 高亮的妈妈说的。

(3) 高小英告诉高亮她看见了刘一民,高亮为什么不说话[14]了?

　　a. 他想起来刘一民知道他和他妈妈的生日,他的电脑[20]密码[54]是他和他妈妈的生日。

　　b. 刘一民是他的好朋友,给她妈妈送生日礼物,他很高兴。

(4) 高亮的电脑[20]密码[54]是什么?

　　a. 高亮的生日。

　　b. 高亮的生日和高亮的妈妈的生日。

(5) 刘一民跟高亮在一起多长时间了?

　　a. 他们大学是同学,后来又一起在银行[3]工作。

　　b. 他们以前不认识,现在在一个银行[3]工作,一个是经理[5],一个是副[51]经理[5]。

6. 谁想杀[56]他?

根据故事选择正确的回答。 Select the correct answer for each of the questions.

(1) 高亮在大学最喜欢上什么课?

　　a. 电脑[20]。

　　b. 电脑[20]和英文。

(2) 电脑[20]高手[24]高亮为什么要买电脑[20]?

    a. 银行[3]给他电脑[20],他自己[13]没有电脑[20]。

    b. 他的电脑[20]在家里,他不能回家去拿。

(3) 高亮买电脑[20]的钱是谁给的?

    a. 从银行[3]的ATM机[58]拿的。

    b. 方小英给的。

(4) 高亮回住的地方的时候,谁跟在他后边[49]?

    a. 一个穿红[48]衣服的人和一个长得很高的人。

    b. 给他做"局"[36]的人。

(5) 在桥[62]上,谁把高亮推[64]出了桥[62]栏杆[65]?

    a. 一个长得很高的人。

    b. 穿红[48]衣服的人。

7. 做黑客[27]找证据[40]

下面的说法哪个对,哪个不对。 Mark the correct statements with "T" and the incorrect ones with "F".

(1) 高亮买了电脑[20]以后[11],一辆[69]红[48]汽车要撞[71]他,一辆[69]白[70]汽车跟红[48]汽车撞[71]在了一起。   (   )

(2) 高亮看见开白[70]汽车的穿着红[48]衣服,开红[48]汽车的长得很高。   (   )

(3) 高亮进了他的电脑[20]系统[26]以后[11],看见了别人[37]给他做的那个"局",好像[12]他真的拿了银行[3]一千万[28]块钱。   (   )

(4) 因为刘一民拿了银行[3]的钱,所以他的电脑[20]密码[54]很难破译[55],高亮用了两天半的时间才破译[55]了。   (   )

(5) 那一千万[28]给了刘一民五百万。   (   )

(6) 那一千万²⁸块钱很多都寄给了李行长在美国的先生。 （　　）

(7) 刘一民害怕³⁵警察³³知道他拿了钱,删除⁷⁴了他的电子
信箱⁷²里拿钱、寄钱的证据⁴⁰。 （　　）

(8) 高亮还看到李行长是跟刘一民一起拿钱的人。 （　　）

(9) 做"局"³⁶的人没有杀⁵⁶了高亮,就坐飞机去外国了。 （　　）

(10) 做"局"³⁶的人删除⁷⁴了刘一民电子信箱⁷²里的证据⁴⁰。 （　　）

(11) 高亮知道警察³³每天帮助他,所以他很高兴。 （　　）

(12) 警察³³里的电脑²⁰高手²⁴拿到了李行长和刘一民拿
银行³的钱和寄钱给李行长的先生的证据⁴⁰。 （　　）

8. "我可以请你跳舞¹⁸吗?"

根据故事选择正确的回答。 Select the correct answer for each of the questions.

(1) 方小英为什么去公园?

　　a. 她那天回家时走过公园。

　　b. 她在公园等高亮。

(2) 方小英在公园看到别人³⁷跳舞¹⁸,还听到了什么音乐?

　　a. 她在网上听过的音乐。

　　b. 她在李行长家的 party 上听过的音乐。

(3) 方小英听到不远的地方有人²²说:

　　a. "我可以请你跳舞¹⁸吗?"

　　b. 小英,我很想你。

综合理解 Global understanding

下面的话有的说得不对，请找出来，并且改正。Can you find out the mistakes in the following passage and correct them?

方小英是银行[3]李行长家的保姆[7]，在李行长家的一次 party 上她认识了银行[3]信贷部[4]副[51]经理[5]高亮。那天高亮请了很多漂亮小姐跳舞[18]，也请了方小英，那天晚上他就跟方小英一起住在了李行长家。高亮睡觉了，小英写了自己[13]的电话号码[30]，放[29]在高亮的衣服里。这时候外面来了很多警察[33]，叫高亮马上出去，说高亮拿了银行[3]三千块钱。高亮说他没有拿银行[3]的钱。因为小英帮助高亮，所以警察[33]没有抓[34]住他。

小英在北京大学上课，她上网[44]的时候，高亮在 QQ[31] 上找到[25]了她。高亮请她去看看自己[13]的妈妈，告诉妈妈他很想妈妈，他没有做坏事，请妈妈好好儿[46]吃饭、睡觉，等他回来。小英去高亮的家，看见有两个人跟着[50]她，一个人穿白[70]衣服，一个人不太高。在高亮家，她看见了刘一民，刘一民是高亮的中学同学，现在也在银行[3]工作，他们是最好的朋友。刘一民是给高亮的妈妈来送生日礼物的。

小英回家以后[11]上网[44]，告诉高亮，她看见了给高亮的妈妈送生日礼物的刘一民。高亮想，他的电脑[20]密码[54]是他妈妈的生日，只[6]有刘一民知道他妈妈的生日，拿钱的是不是刘一民？刘一民是不是拿了钱，还给他做了"局"[36]？

李行长对小英说高亮在银行[3]工作得不好，他不是真的喜欢小英。她还问小英知道不知道高亮在哪里？小英说，她看见了高亮，不知道他住在哪里。

高亮想他一定要找到[25]那个拿钱做"局"[36]的人，所以买了一个电脑[20]。他回家过一个桥[62]的时候，一个穿白[70]衣服的人把他推[64]出了桥[62]栏杆[65]外[32]，一个长得不高的人把他拉[68]了上来。

　　高亮用了一天的时间破译[55]了刘一民的电脑[20]密码[54]，找到[25]了他拿钱的证据[40]。他还破译[55]了李行长的电子信箱[72]的密码[54]，找到[25]了那些钱都寄给了她在美国上学的孩子的证据[40]。高亮要去找警察[33]，可是一出门[10]，就有一个穿白[70]衣服的人要开枪[73]打他，这时候一个长得不高的人跑出来，枪[73]打在了这个人的身上。这个长得不高的人也拿出枪[73]，打着了那个穿白[70]衣服的人。那个长得不高的人是一个警察[33]，高亮告诉他自己[13]找到[25]了刘一民拿钱、把钱寄给李行长的证据[40]。可是他开电脑[20]给警察[33]看时，那些证据[40]已经删除[74]了。警察[33]告诉他，没关系，他是一个电脑[20]高手[24]，已经看到了高亮找到[25]的证据[40]。刘一民和李行长已经在警察[33]工作的地方了。

　　这是北京五月的一个早上，方小英在一个图书馆前边走着。她听见后边[49]有人[22]说："你喜欢跳舞[18]吗？"她看见高亮走过来拉[68]她的手，她真的很快乐。

练习答案
Answer keys to the exercises

1. 一个有意思的男人

    (1) b   (2) a   (3) a   (4) b   (5) b   (6) a

2. 谁拿走了银行[3]一千万[28]块钱?

    (1) b   (2) b   (3) a   (4) a   (5) a

3. "现在,谁都不要相信[41]!"

    (1) F   (2) T   (3) T   (4) T

    (5) F   (6) T   (7) F   (8) T

4. 最好的朋友

    (1) F   (2) T   (3) T

    (4) F   (5) T   (6) T

5. 做"局"[36]的人是谁?

    (1) b   (2) b   (3) a   (4) b   (5) a

6. 谁想杀[56]他?

    (1) b   (2) b   (3) a   (4) a   (5) b

7. 做黑客[27]找证据[40]

    (1) F   (2) T   (3) T   (4) T

    (5) F   (6) T   (7) F   (8) T

    (9) F   (10) T   (11) T   (12) T

8. 我可以请你跳舞[18]吗?

    (1) a   (2) b   (3) a

综合理解 Global understanding

方小英是银行[3]李行长家的保姆[7]，在李行长家的一次 party 上她认识了银行[3]信贷部[4]副[51]经理[5]（经理[5]）高亮。那天高亮请了很多漂亮小姐跳舞[18]（没有请漂亮小姐跳舞[18]），也（只[6]）请了方小英，那天晚上他就跟方小英一起住在了李行长家（方小英住的地方）。高亮睡觉了，小英写了自己[13]的电话号码[30]（和 QQ[31] 号码[30]），放[29]在高亮的衣服里。这时候外面来了很多警察[33]，叫高亮马上出去，说高亮拿了银行[3]三千（一千万[28]）块钱。高亮说他没有拿银行[3]的钱。因为小英帮助高亮，所以警察[33]没有抓[34]住他。

小英在北京大学（网[19]上大学）上课，她上网[44]的时候，高亮在 QQ[31] 上找到[25]了她。高亮请她去看看自己[13]的妈妈，告诉妈妈他很想妈妈（不能回家看妈妈），他没有做坏事，请妈妈好好儿[46]吃饭、睡觉（吃药），等他回来。小英去高亮的家，看见有两个人跟着[50]她，一个人穿白[70]（红[48]）衣服，一个人长得不太高（很高）。在高亮家，她看见了刘一民，刘一民是高亮的中学（大学）同学，现在也在银行[3]工作，他们是最好的朋友。刘一民是给高亮的妈妈来送生日礼物的。

小英回家以后[11]上网[44]，告诉高亮，她看见了给高亮的妈妈送生日礼物的刘一民。高亮想，他的电脑[20]密码[54]是他妈妈（和他）的生日，只[6]有刘一民知道他妈妈（和他）的生日，拿钱的是不是刘一民？刘一民是不是拿了钱，还给他做了"局"[36]？

李行长对小英说高亮在银行[3]工作得不好（很好），他不是真的喜欢小英。她还问小英知道不知道高亮在哪里？小英说，她看见了（没看见）高亮，不知道他住在哪里。

高亮想他一定要找到[25]那个拿钱做"局"[36]的人，所以买了一个电脑[20]。他回家过一个桥[62]的时候,一个穿白[70](红[48])衣服的人把他推[64]出了桥[62]栏杆[65]外[32],一个长得不高(很高)的人把他拉[68]了上来。

　　高亮用了一天(两天半)的时间破译[55]了刘一民的电脑[20]密码[54],找到[25]了他拿钱的证据[40]。他还破译[55]了李行长(刘一民)的电子邮箱的密码[54],找到[25]了那些钱都寄给了她(李行长)在美国上学(工作)的孩子(先生)的证据[40]。高亮要去找警察[33],可是一出门[10],就有一个穿白[70](红[48])衣服的人要开枪[73]打他,这时候一个长得不高(很高)的人跑出来,枪[73]打在了这个人的身上。这个长得不高(很高)的人也拿出枪[73],打着了那个穿白[70](红[48])衣服的人。那个长得不高(很高)的人是一个警察[33],高亮告诉他自己[13]找到[25]了刘一民拿钱、把钱寄给李行长(先生)的证据[40]。可是他开电脑[20]给警察[33]看时,那些证据[40]已经删除[74]了。警察[33]告诉他,没关系,他是(警察[33]里的)一个电脑[20]高手[24],已经看到了高亮找到[25]的证据[40]。刘一民和李行长已经在警察[33]工作的地方(的车上)了。

　　这是北京五月的一个早上(晚上),方小英在一个图书馆(公园)前边走着。她听见后边[49]有人[22]说:"你喜欢跳舞[18]吗(我可以请你跳舞[18]吗)?"她看见高亮走过来拉[68]她的手(对她张开[75]两臂[67]),她真的很快乐。

为所有中文学习者(包括华裔子弟)编写的

第一套系列化、成规模、原创性的大型分级
轻松泛读丛书

"汉语风"(*Chinese Breeze*)分级系列读物简介

"汉语风"(*Chinese Breeze*)是一套大型中文分级泛读系列丛书。这套丛书以"学习者通过轻松、广泛的阅读提高语言的熟练程度,培养语感,增强对中文的兴趣和学习自信心"为基本理念,根据难度分为8个等级,每一级6—8册,共近60册,每册8,000至30,000字。丛书的读者对象为中文水平从初级(大致掌握300个常用词)一直到高级(掌握3,000—4,500个常用词)的大学生和中学生(包括修美国AP课程的学生),以及其他中文学习者。

"汉语风"分级读物在设计和创作上有以下九个主要特点:

一、等级完备,方便选择。精心设计的8个语言等级,能满足不同程度的中文学习者的需要,使他们都能找到适合自己语言水平的读物。8个等级的读物所使用的基本词汇数目如下:

第1级:300 基本词	第5级:1,500 基本词
第2级:500 基本词	第6级:2,100 基本词
第3级:750 基本词	第7级:3,000 基本词
第4级:1,100 基本词	第8级:4,500 基本词

为了选择适合自己的读物,读者可以先看看读物封底的故事介绍,如果能读懂大意,说明有能力读那本读物。如果读不懂,说明那本读物对你太难,应选择低一级的。读懂故事介绍以后,再看一下书后的生词总表,如果大部分生词都认识,说明那本读物对你太容易,应试着阅读更高一级的读物。

二、题材广泛,随意选读。丛书的内容和话题是青少年学生所喜欢的侦探历险、情感恋爱、社会风情、传记写实、科幻恐怖、神话传说等。学习者可以根据自己的兴趣爱好进行选择,享受阅读的乐趣。

三、词汇实用,反复重现。各等级读物所选用的基础词语是该等级的学习者在中文交际中最需要最常用的。为研制"汉语风"各等级的基础词

表,"汉语风"工程首先建立了两个语料库:一个是大规模的当代中文书面语和口语语料库,一个是以世界上不同地区有代表性的40余套中文教材为基础的教材语言库。然后根据不同的交际语域和使用语体对语料样本进行分层标注,再根据语言学习的基本阶程对语料样本分别进行分层统计和综合统计,最后得出符合不同学习阶程需要的不同的词汇使用度表,以此作为"汉语风"等级词表的基础。此外,"汉语风"等级词表还参考了美国、英国等国和中国大陆、台湾、香港等地所建的10余个当代中文语料库的词语统计结果。以全新的理念和方法研制的"汉语风"分级基础词表,力求既具有较高的交际实用性,也能与学生所用的教材保持高度的相关性。此外,"汉语风"的各级基础词语在读物中都通过不同的语境反复出现,以巩固记忆,促进语言的学习。

四、易读易懂,生词率低。"汉语风"严格控制读物的词汇分布、语法难度、情节开展和文化负荷,使读物易读易懂。在较初级的读物中,生词的密度严格控制在不构成理解障碍的1.5%到2%之间,而且每个生词(本级基础词语之外的词)在一本读物中初次出现的当页用脚注做出简明注释,并在以后每次出现时都用相同的索引序号进行通篇索引,篇末还附有生词表,以方便学生查找,帮助理解。

五、作家原创,情节有趣。"汉语风"的故事以原创作品为主,多数读物由专业作家为本套丛书专门创作。各篇读物力求故事新颖有趣,情节符合中文学习者的阅读兴趣。丛书中也包括少量改写的作品,改写也由专业作家进行,改写的原作一般都特点鲜明、故事性强,通过改写降低语言难度,使之适合该等级读者阅读。

六、语言自然、鲜活。读物以真实自然的语言写作,不仅避免了一般中文教材语言的枯燥和"教师腔",还力求鲜活地道。

七、插图丰富,版式清新。读物在文本中配有丰富的、与情节内容自然融合的插图,既帮助理解,也刺激阅读。读物的版式设计清新大方,富有情趣。

八、练习形式多样,附有习题答案。读物设计了不同形式的练习以促进学习者对读物的多层次理解;所有习题都在书后附有答案,以方便查对,利于学习。

九、配有录音,两种语速选择。各册读物所附的故事录音(MP3格式),有正常语速和慢速两种语速选择,学习者可以通过听的方式轻松学习、享受听故事的愉悦。故事录音可通过扫描封底的二维码获得,也可通过网址http://www.pup.cn/dl/newsmore.cfm?sSnom=d203下载。

ABOUT Hànyǔ Fēng (*Chinese Breeze*)

Hànyǔ Fēng (*Chinese Breeze*) is a large and innovative Chinese graded reader series which offers nearly 60 titles of enjoyable stories at eight language levels. It is designed for college and secondary school Chinese language learners from beginning to advanced levels (including AP Chinese students), offering them a new opportunity to read for pleasure and simultaneously developing real fluency, building confidence, and increasing motivation for Chinese learning. *Hànyǔ Fēng* has the following main features:

☆ Eight carefully graded levels increasing from 8,000 to 30,000 characters in length to suit the reading competence of first through fourth-year Chinese students:

Level 1: 300 base words	Level 5: 1,500 base words
Level 2: 500 base words	Level 6: 2,100 base words
Level 3: 750 base words	Level 7: 3,000 base words
Level 4: 1,100 base words	Level 8: 4,500 base words

To check if a reader is at one's reading level, a learner can first try to read the introduction of the story on the back cover. If the introduction is comprehensible, the leaner will be able to understand the story. Otherwise the learner should start from a lower level reader. To check whether a reader is too easy, the learner can skim the Vocabulary (new words) Index at the end of the text. If most of the words on the new word list are familiar to the learner, then she/ he should try a higher level reader.

☆ Wide choice of topics, including detective, adventure, romance, fantasy, science fiction, society, biography, mythology, horror, etc. to meet the diverse interests of both adult and young adult learners.

61

☆ Careful selection of the most useful vocabulary for real life communication in modern standard Chinese. The base vocabulary used for writing each level was generated from sophisticated computational analyses of very large written and spoken Chinese corpora as well as a language databank of over 40 commonly used or representative Chinese textbooks in different countries.

☆ Controlled distribution of vocabulary and grammar as well as the deployment of story plots and cultural references for easy reading and efficient learning, and highly recycled base words in various contexts at each level to maximize language development.

☆ Easy to understand, low new word density, and convenient new word glosses and indexes. In lower level readers, new word density is strictly limited to 1.5% to 2%. All new words are conveniently glossed with footnotes upon first appearance and also fully indexed throughout the texts as well as at the end of the text.

☆ Mostly original stories providing fresh and exciting material for Chinese learners (and even native Chinese speakers).

☆ Authentic and engaging language crafted by professional writers teamed with pedagogical experts.

☆ Fully illustrated texts with appealing layouts that facilitate understanding and increase enjoyment.

☆ Including a variety of activities to stimulate students' interaction with the text and answer keys to help check for detailed and global understanding.

☆ Audio files in MP3 format with two speed choices (normal and slow) accompanying each title for convenient auditory learning. Scan the QR code on the backcover, or visit the website http://www.pup.cn/dl/newsmore.cfm?sSnom=d203 to download the audio files.

"汉语风"系列读物其他分册
Other *Chinese Breeze* titles

"汉语风"全套共8级近60册,自2007年11月起由北京大学出版社陆续出版。下面是已经出版或近期即将出版的各册书目。请访问北京大学出版社网站(www.pup.cn)关注最新的出版动态。

Hànyǔ Fēng (*Chinese Breeze*) series consists of nearly 60 titles at eight language levels. They have been published in succession since November 2007 by Peking University Press. For most recently released titles, please visit the Peking University Press website at www.pup.cn.

第1级:300词级
Level 1:300 Word Level

错,错,错!
Wrong, Wrong, Wrong!

6月8号,北京。一个漂亮的小姐在家里死(sǐ: die)了,她身上有一封信,说:"我太累了,我走了。"下面写的名字是"林双双"。双双有一个妹妹叫对对,两人太像了,别人都不知道哪个是姐姐,哪个是妹妹……死(sǐ: die)了的小姐是双双,对对到哪里去了? 死(sǐ: die)了的小姐是对对,为什么信上写的是"林双双"?

June 8, Beijing. A pretty girl lies dead on the floor of her luxury home. A slip of paper found on her body reads, "I'm tired. Let me leave..." At the bottom of the slip is a signature: Lin Shuangshuang.

Shuangshuang has a twin-sister called Duidui. The two girls look so similar that others can hardly tell who's who. Is the one who died really Shuangshuang? Then where is Duidui? If the one who died is Duidui as someone claimed, then why is the signature on the slip Lin Shuangshuang?

两个想上天的孩子
Two Children Seeking the Joy Bridge

"叔叔,在哪里买飞机票?"

"小朋友,你们为什么来买飞机票? 要去旅行吗?"

"不是。""我们要到天上去。"

……

这两个要买飞机票的孩子,一个7岁,一个8岁。没有人知道,他们为什么想上天。这两个孩子也不知道,在他们出来以后,有人给他们的家里打电话,让他们的爸爸妈妈拿钱去换他们呢……

"Sir, where is the air-ticket office?"

"You two kids come to buy air-tickets? Are you gonna travel somewhere?"

"Nope." "We just wanna go up to the Joy Bridge."

"The Joy Bridge?"

...

Of the two children at the airport to buy air-tickets, one is 7 and the other is 8. Beyond their wildest imaginings, after they ran away, their parents were called by some crooks who demanded a ransom to get them back...

我一定要找到她……
I Really Want to Find Her...

那个女孩儿太漂亮了,戴伟、杰夫和秋田看到了她的照片,都要去找她! 照片是老师死前给他们的,可是照片上的中国女孩儿在哪儿? 他们都不知道。最后,他们到中国是怎么找到那个女孩儿的? 女孩儿又和他们说了什么?

She is really beautiful. Just one look at her photo and three guys, Dai-wei, Jie-fu and Qiu-tian, are all determined to find her! The photo was given to them by their professor before he died. And nobody knows where in China the girl is. How can the guys find her? And what happens when they finally see her?

向左向右
Left and Right: The Conjoined Brothers

向左和向右是两个男孩子的名字,爸爸妈妈也不知道向左是哥哥还是向右是哥哥,因为他们连在一起,是一起出生的连体人。他们每天都一起吃,一起住,一起玩儿。他们常常都很快乐。有时候,弟弟病了,哥哥帮他吃药,弟弟的病就好了。但是,学校上课的时候,他们在一起就不方便了……

Left and Right are two brothers. Even their parents don't know who is older and who is younger, as they are Siamese twins. They must do everything together. They play together, eat together, and sleep together. Most of the time they enjoy their lives and are very happy. When one was sick, the other helped his brother take his medicine and he got better. However, it's no fun anymore when they sit in class together but one brother dislikes the other's subjects...

你最喜欢谁?
Whom Do You Like More?

谢红去了外国,她是方新喜欢的人,可是方新不想去外国,因为他要在中关村做他喜欢的工作。小月每天来看方新,她是喜欢方新、也能帮方新的人,可是方新还是想着谢红。方新真不知道应该怎么办……

Xie Hong, Fang Xin's true love, has gone abroad to fulfill her dream. But Fang Xin only wants to stay in Zhongguancun in Beijing doing work that he enjoys. Xiao-yue comes to visit Fang Xin every day. She is the one who really understands Fang Xin. She loves him and can offer him the help that he badly needs. But only Xie Hong is in Fang Xin's mind. What should Fang Xin do? He seems to be losing his way in life...